Sheltie
et les pirates

BIOGRAPHIE

Peter Clover est né et a grandi à Londres. Il a commencé sa carrière comme illustrateur avant de mettre des mots autour de ses illustrations. Il adore peindre, voyager, cuisiner et se maintenir en forme. Il habite sur la côte Sud de l'Angleterre, à Somerset.

ILLUSTRATIONS INTÉRIEURES :
PETER CLOVER

et les pirates

PETER CLOVER

TRADUIT DE L'ANGLAIS
PAR GUILLAUME FOURNIER

PREMIÈRE ÉDITION
BAYARD JEUNESSE

Titre original
SHELTIE n°25
Sheltie and the Pirates

© 2005, Working Partners Ltd.,
Tous droits réservés. Reproduction même partielle interdite.
Sheltie est une marque déposée de Working Partners Limited.
© 2006, Bayard Éditions Jeunesse
pour la traduction française
Loi n° 49-956 du 16 juillet 1949
sur les publications destinées à la jeunesse
Dépôt légal : avril 2006

ISBN : 2 7470 1945 4

Imprimé en Allemagne par Clausen & Bosse

1

– Prêt ? lança Emma à Sheltie, son petit poney Shetland.

Sheltie se tenait à l'autre bout de l'enclos, entre deux poteaux de fortune, le regard en alerte, fouettant l'air avec sa longue queue.

Emma avait un ballon de football à ses pieds. Elle prit un peu d'élan, puis shoota dans sa direction. Sheltie renifla, fit un pas de côté pour contrôler la balle avec son sabot et traversa le pré jusqu'à

Emma, comme un vrai footballeur.

La jeune fille rit si fort qu'elle faillit en tomber à la renverse. Comme Sheltie semblait drôle, la balle au sabot! D'ailleurs, il était excellent. Il revint se mettre en place, et Emma essaya de nouveau. D'une ruade, le petit poney expédia le ballon à l'autre bout de l'enclos, pile dans la porte ouverte de son abri.

– But! cria Emma tandis que Sheltie accourait chercher sa récompense.

Emma se sentait très fière de son poney. Elle lui tendit une carotte dans le creux de sa paume. Sheltie la saisit entre ses lèvres, la croqua bruyamment, puis lâcha un rot sonore.

– Et tes manières, Sheltie? fit Emma en gloussant.

Le petit poney regarda à travers son toupet. Il essayait de paraître penaud, mais ses yeux pétillaient de malice!

– Il faudra être bien sage chez Papi Todd, le prévint Emma. Nous sommes invités pour quinze jours dans son cottage au bord de la mer, à Baie-du-Galion, et tu es du voyage!

Emma sourit et chuchota à l'oreille de Sheltie:

– Maman dit que Papi a une mission pour toi.

Sheltie secoua la tête et battit des cils.

Ensuite, il poussa un hennissement moqueur.

– Méchant poney ! s'esclaffa Emma en lui enfilant son collier. Mais je t'aime quand même !

Devant le cottage, les parents d'Emma s'affairaient à charger dans la voiture des valises et tout ce dont ils auraient besoin pendant leur séjour.

Le van de Sheltie, en place à l'arrière, ressemblait à une caravane miniature. Il comportait une petite vitre à l'avant pour permettre au poney de regarder la route.

Emma y avait déjà chargé des sacs de céréales et plusieurs balles de foin. La bride et la selle étaient pendues à un crochet derrière la porte. Tout était prêt ; il ne manquait que Sheltie.

Le petit poney renifla de plaisir quand Emma le conduisit jusqu'à la rampe d'accès.

Le petit frère d'Emma, Jim, était excité

lui aussi. Il agrippait fermement sa pelle et son seau en plastique, bien sanglé dans son siège auto.

Emma leva les yeux : le ciel était couvert. Quand les premières gouttes de pluie commencèrent à tomber, la famille se mit en route.

En fin d'après-midi, la voiture et son van franchirent la crête d'une colline couverte de bruyère et descendirent la

longue route sinueuse qui conduisait à Baie-du-Galion, ville portuaire réputée pour ses nombreuses histoires de pirates.

Soudain, les nuages s'écartèrent, et le soleil brilla timidement au-dessus de la baie.

– Oh, regardez ! s'écria Emma en tendant le doigt. La mer ! Je vois la mer.

Les eaux scintillaient en contrebas, derrière un vaste croissant de sable doré. Jim frétilla dans son siège en frappant bruyamment son seau avec sa pelle. Sheltie, qui avait lui aussi aperçu la mer, semblait ravi à la perspective de l'aventure qu'on lui avait promise !

2

«Je me demande quelle surprise Papi réserve à Sheltie», pensa Emma tout en embrassant le paysage d'un regard enthousiaste. Des moutons blancs broutaient de part et d'autre de la route qui menait au cottage de son grand-père.

La vieille bâtisse badigeonnée à la chaux se dressait en bordure de plage. Un vent violent faisait vibrer ses carreaux et soulevait des embruns mêlés de sel et de sable par-dessus son toit d'ardoises.

– Papi a dit que nous pouvions installer Sheltie dans le pré derrière le cottage, déclara Mme Matthews.

– D'accord, dit Emma.

Puis, écarquillant les yeux, elle s'écria :

– Qu'est-ce que c'est que ça ?

Ses parents restèrent bouche bée. Jim cessa de frapper sur son tambourin pour pointer le doigt.

– Des pirates ! s'exclama Emma.

De fait, trois Frères de la Côte, affublés de vêtements colorés, remontaient la plage en ferraillant avec des sabres. En apercevant la voiture, ils s'interrompirent et chargèrent dans sa direction.

Quelle ne fut pas la surprise de ses occupants lorsqu'ils reconnurent Papi Todd qui venait à eux, vêtu d'un pardessus de boucanier, de hautes bottes de cuir et d'un tricorne.

– Ohé, marins d'eau douce ! lança-t-il en agitant son sabre étincelant. Je suis

Barbe-Grise le Cruel.

Sheltie s'agita et frappa le sol du van avec ses petits sabots.

– Que cachez-vous là derrière ? tonna Papi avec un sourire canaille.

Sheltie dressa les oreilles et souffla doucement tandis que le grand pirate passait le bras dans la remorque pour lui ébouriffer la crinière.

Emma bondit hors de la voiture.

— Papi, Papi ! hurla-t-elle, excitée.

Le grand pirate l'arracha du sol et la fit tournoyer dans les airs. Papi Todd n'avait rien d'un vieillard voûté et rabougri ; c'était un grand-père de haute taille, plein de vigueur et de malice.

— Qu'on ne me dise pas que c'est ma petite Emma ! s'écria-t-il de sa belle voix grave en la reposant par terre. Ce n'est pas possible !

— Mais si, fit Emma en riant. C'est bien moi ! Avec Sheltie, ajouta-t-elle en courant derrière la remorque pour libérer son poney.

Elle ouvrit la portière, et le petit Shetland descendit la rampe dans un grand martèlement de sabots.

Les deux autres pirates portaient un bandeau sur l'œil et des foulards à pois autour de la tête. Leurs pantalons étaient coupés au-dessous des genoux, et ils avaient des gilets de couleurs vives, dont les boutons brillaient au soleil.

– Voici Bosun la Perruque et Jack le Rouge, annonça Papi en présentant ses amis.

Sheltie secoua la tête et fit voler sa crinière en voyant les deux hommes s'approcher pour le flatter. Un instant plus tard, Jack le Rouge avait noué un foulard autour de l'encolure de Sheltie et lui avait planté un chapeau de pirate sur la tête.

– Splendide, pouffa Emma en voyant Sheltie sautiller d'un sabot sur l'autre. Un vrai forban des mers !

15

*   *   *

Plus tard, une fois Sheltie installé dans son paddock à l'arrière du cottage, Papi apprit à Emma et ses parents la raison de leur invitation à Baie-du-Galion, et expliqua pourquoi ses amis et lui s'étaient déguisés.

— Il y aura une grande fête sur la plage, demain, commença-t-il. L'objectif est de récolter de l'argent pour la restauration de la jetée des Pirates.

— La jetée des Pirates? répéta Emma avec excitation.

— C'est une ancienne jetée, au bout de la plage, expliqua Papi. On y trouve une petite salle de jeux, un manège et un minuscule théâtre qui accueille parfois des spectacles ou des pièces locales.

— Tu as toujours aimé pratiquer le théâtre amateur, fit Mme Matthews en souriant.

– Exact, dit Papi en riant. Voilà pourquoi je voudrais rendre son lustre d'antan à la jetée. C'est peut-être un édifice vieillot et délabré, mais il fait partie de notre patrimoine. Il n'en reste plus beaucoup de ce genre ! Son petit théâtre, lui, est vraiment de toute beauté.

– Je suis impatiente de voir ça ! s'écria Emma. Et nous ferons le maximum pour t'aider, bien sûr.

– Je te le montrerai demain, lui promit Papi. Voyez-vous, je participe à la fête destinée à lever des fonds, et je suis également responsable de la remise en état de la scène et de l'intérieur du théâtre.

– Ça ne doit pas être une mince affaire, observa M. Matthews.

Papi passa la main dans son épaisse chevelure blanche :

– En effet ! Mais je peux compter sur des amis formidables. Et quand nous en aurons fini et que la jetée sera sauvée, nous pourrons être fiers de nous.

– Sauvée ? répéta Emma. Sauvée de quoi ?

– De la disparition, répondit Papi d'un air lugubre. Le conseiller, Reginald Smith, veut raser la jetée des Pirates et construire une affreuse digue en béton à la place.

– Ça n'a pas l'air tellement chouette, convint Emma.

– Ça ne l'est pas. Personne ici ne tient à voir une horrible barre en béton remplacer notre chère vieille jetée – à part le conseiller Smith. Mais ne t'en fais pas, Emma. Baie-du-Galion est très attachée à son histoire, et tout le monde est prêt à nous donner un coup de main. Nous n'avons pas dit notre dernier mot !

3

Le lendemain, après le petit déjeuner, Papi emmena Emma et Sheltie tandis que M. et Mme Matthews descendaient sur la plage avec Jim. Le ciel était d'un bleu éblouissant. Les mouettes tournoyaient dans les airs en criant à tue-tête.

– Elles ont faim, expliqua Papi.

Il tendit à Emma un sac rempli de croûtons qu'elle jeta en l'air l'un après l'autre. Sheltie poussait un hennissement perçant chaque fois qu'une mouette venait en saisir un dans son bec. Il tenta bien de chiper un croûton, lui aussi, mais Emma l'en empêcha.

— Désolée, Sheltie, ils ne sont pas pour toi !

Quand le sac fut vide, elle lui flatta l'encolure et lui offrit un bonbon à la menthe :

— Tiens ! Ce sera meilleur.

Sheltie approuva par un « crunch ! » sonore.

— Et voilà, annonça Papi avec une révérence cérémonieuse. Notre célèbre jetée des Pirates !

Emma se protégea les yeux du soleil avec le plat de la main.

— Magnifique ! commenta-t-elle.

La jetée aux poutres claires se dressait au-dessus du sable et s'avançait dans la mer. Les vagues léchaient doucement ses énormes piliers.

— Tu ne trouves pas, Sheltie ?

Le petit poney secoua la tête et gratta les planches du sabot à l'entrée de la jetée.

Emma mit pied à terre, prit Sheltie par la bride et s'avança avec prudence : certaines parties de la construction semblaient en mauvais état...

En notant au passage la peinture écaillée qui se détachait des rambardes et

des lampadaires, elle songea que l'endroit attirerait davantage de monde une fois repeint et remis à neuf.

Plus loin, on trouvait successivement un stand de barbe à papa, une petite salle de jeux électroniques et un manège, constitué de bateaux pirates alignés en bon ordre sur un rail, à côté du théâtre.

– Le moteur est en réparation, expliqua Papi. Le manège est fermé pour le moment.

Enfin, ils atteignirent le bout de la jetée, où Emma découvrit le petit théâtre.

– Comme il est joli ! s'exclama-t-elle.

Papi déverrouilla la porte et fit entrer ses invités. Pour Emma, c'était la plus belle salle de spectacle qu'elle avait vue de sa vie.

Elle examina l'intérieur chaleureux et les moulures dorées qui encadraient la scène. Un épais rideau de velours rouge rubis était tiré d'un côté, maintenu par un gros cordon doré. Des sièges confortables s'échelonnaient, rangée après rangée, surmontés de projecteurs poussiéreux.

Emma tomba aussitôt amoureuse des lieux.

Elle plissa les yeux et tenta d'imaginer la représentation d'une pièce en costumes. Dans son esprit, elle voyait des pirates qui chantaient et dansaient. Ce théâtre était vraiment magique, même s'il avait besoin d'un sérieux rafraîchissement.

– J'ai une idée, proposa-t-elle. Pourquoi ne pas monter une pièce? Une histoire où l'on verrait la population de Baie-du-Galion aux prises avec une bande de pirates?

– C'est un projet épatant, Emma, fit Papi avec un sourire. Je savais que je faisais bien de t'inviter pour les vacances.

4

Emma repartit avec Sheltie tandis que son grand-père récupérait différentes choses dont il aurait besoin pour la fête. La fillette longea la plage au galop. Elle retrouva Jim et ses parents au bord de l'eau, qui ramassaient des algues en compagnie d'une bande de pirates.

– Cette fête sur la plage va être fantastique, déclara Mme Matthews alors que Sheltie pilait devant elle.

– Il va y avoir des jeux, un barbecue

et un grand feu de joie, enchaîna M. Matthews. On s'assiéra autour pour faire griller des marshmallows, et on racontera des histoires palpitantes.

– J'ai hâte d'y être ! s'écria Emma.

Sheltie leva la tête vers les mouettes qui tournoyaient dans le ciel. C'était vraiment une belle après-midi ensoleillée.

– J'espère que Sheltie n'est pas en train de nous mijoter un de ses tours, dit Mme Matthews.

Elle pivota sur elle-même pour flatter le petit poney :

– Tu seras bien sage, hein, Sheltie ? Tu ne te jetteras pas sur la nourriture ?

Pour toute réponse, Sheltie lui éternua à la figure, déclenchant l'hilarité générale.

– Nous, on adore les blagues, observa Bosun la Perruque en jetant des nappes blanches sur les tables en bois. Dès qu'il y a des clowns dans une fête, les gens sont prêts à mettre la main à la poche.

C'est une bonne manière de récolter des fonds.

– Tu entends ça, Emma? dit M. Matthews. Tu devrais peut-être convaincre Sheltie de nous faire un numéro de jonglage.

– Très drôle, fit Emma en riant. Sheltie ne peut pas jongler. Par contre, c'est un excellent joueur de foot.

– Voilà justement la surprise dont je voulais te parler, Emma, intervint Papi, qui venait de les rejoindre. Ta mère m'a longuement raconté les prouesses de ton poney, et j'ai imaginé quelque chose en secret pour le mettre à contribution…

Intriguée et ravie, Emma suivit son grand-père, qui la mit enfin dans la confidence.

* * *

Vers trois heures de l'après-midi, les gens commencèrent à traverser la plage en direction de la jetée. La plupart, voulant célébrer l'événement, arrivaient déguisés en pirates. Emma eut l'impression que tous les habitants de Baie-du-Galion étaient venus au barbecue.

Elle-même portait un pantalon rayé avec un gilet jaune vif et une écharpe rouge autour de la taille. Sa mère avait habillé Jim en petit pirate, avec un pantalon déchiré, un T-shirt de marin et un grand chapeau à large bord.

La plupart des gens avaient apporté de quoi manger. Les tables croulaient sous les gâteaux, les tartes et les quiches savoureuses, ainsi que les sodas et les jus de fruits.

Sur d'autres stands, on vendait des objets d'artisanat local. L'un d'eux était chargé de bouteilles en verre de toutes les

formes et de toutes les tailles, à l'intérieur desquelles se trouvaient des bateaux pirates miniatures, dotés de gréement, arborant le fameux pavillon noir.

Des jeux de tombola, d'anneaux et de quilles étaient proposés aux visiteurs, qui pouvaient remporter des prix. Une chasse au trésor se déroulait également sur la plage. Une grosse corde permettait à des équipes d'opposer leurs forces à celles d'une bande de joyeux drilles. Le jeu qu'Emma préférait consistait à lancer des paquets d'algues humides sur un pirate attaché au pilori. La panière de collecte ne cessait de se remplir.

Mme Matthews était assise sur une grande couverture de pique-nique, du maquillage de théâtre à portée de mains, et les enfants faisaient la queue pour être grimés en vieux loups de mer.

La fête battait son plein. Saucisses et hamburgers grésillaient sur le barbecue.

Enfin, on alluma le feu de joie. Emma enveloppa des pommes de terre dans du papier d'aluminium et Jack le Rouge, qui s'appelait en réalité Jack Morris, l'aida à les enfoncer dans les braises rougeoyantes.

L'annonce qu'attendait Emma retentit enfin.

Son grand-père, dans un costume de Barbe-Grise le Cruel, porta un mégaphone à sa bouche et convia tout le monde à s'approcher.

– Ohé, frères des pirates ! tonna-t-il. Le meilleur gardien de but de l'univers vous attend au pied de la jetée. Celui qui marquera un but gagnera une splendide bourriche de fruits de mer. Cinquante pence seulement pour trois essais. Allez, marins d'eau douce ! Venez vous mesurer à notre champion !

– De qui parle-t-il ? demanda quelqu'un.

– Un gardien de but ? répéta quelqu'un d'autre.

Chacun se dirigea vers la jetée pour découvrir de quoi il s'agissait.

Emma rayonnait de fierté en menant Sheltie entre deux poteaux de bois.

— Mais… c'est un poney! s'exclama une grosse dame en rose qui tenait un sabre d'abordage. Ce qu'il a l'air drôle!

— Voici Sheltie, le poney Shetland, lança le grand-père d'Emma. La preuve vivante que ce n'est pas la taille qui fait les grands gardiens! Allons, qui veut

tenter sa chance contre lui?

– Moi! cria un adolescent très excité.

C'était l'un des garçons qu'Emma avait vus pêcher depuis la jetée.

– Je joue dans l'équipe de foot de mon collège, poursuivit-il. Envoyez le ballon!

Sheltie balaya la foule du regard tandis que Papi Todd plaçait un ballon sur une marque face aux poteaux.

– À toi de jouer, Sheltie, dit-il.

Sheltie fixa aussitôt son adversaire et se tint prêt, les oreilles dressées, l'œil pétillant. Lorsque le garçon prit son élan et shoota en direction des cages, il fit un bond de côté et détourna le ballon d'un coup de sabot. La foule poussa des hourras et Emma applaudit à tout rompre.

Le garçon essaya de nouveau. Rapide comme un éclair, Sheltie décocha une ruade, qui propulsa le ballon dans la mer.

– Dernière chance! annonça le grand-père d'Emma.

Mais cette fois encore le petit poney exécuta une brillante parade et bloqua la balle. Emma courut le féliciter et lui tendit un bonbon à la menthe.

– Bravo ! cria-t-elle. Prêt à remettre ça ?

Sheltie hocha la tête, comme s'il avait compris.

Les uns après les autres, tous les spectateurs tentèrent de marquer un but. Cependant, le petit poney se défendit bien, et personne n'y parvint. La panière de collecte se remplissait à toute allure.

– Sheltie, tu fais un excellent leveur de fonds, déclara le grand-père d'Emma en voyant le poney bloquer un autre tir.

Enfin, une vieille dame se présenta devant les poteaux. Son shoot manquait de force, mais le ballon s'envola en suivant une trajectoire bizarre, et malgré une bonne ruade, Sheltie le manqua de peu.

En revanche, son sabot cogna l'un des poteaux de la jetée avec un grand «crac!», et fit voler un gros éclat de bois sur le sable.

Tandis que la foule saluait l'exploit de la vieille dame, Sheltie renifla le trou qu'il avait creusé dans le poteau.

– Ne t'en fais pas, mon beau, lui dit Emma en évaluant d'un coup d'œil les dégâts.

Elle aperçut sous le bois le reflet métallique d'une armature en fer, mais n'y prêta pas attention.

– Tu n'as encaissé qu'un seul but, et aidé à récolter beaucoup d'argent. La jetée des Pirates peut te dire merci !

La foule reflua lentement en direction du feu de joie. Mais, sur place, une mauvaise surprise l'attendait.

5

Jack le Rouge et Bosun la Perruque se tenaient devant un tas de braises humides, qui fumaient encore. Des seaux vides gisaient sur le sable à leurs pieds. Et le conseiller Reginald Smith les toisait, les sourcils froncés.

– Organiser des fêtes et allumer des feux sur la plage est contraire au règlement, dit-il. C'est un délit passible d'une grosse amende !

– Mais il s'agit d'une collecte de

fonds…, plaida le grand-père d'Emma.

– La loi est la loi, déclara sèchement le conseiller Smith. La fête est terminée. Je veux voir cette plage nettoyée dans moins de trente minutes, sans quoi vous aurez tous de graves ennuis.

– Quel vilain bonhomme, murmura Emma.

Sheltie semblait du même avis. Il tira la langue et souffla bruyamment.

Le conseiller lui jeta un regard noir.

– Les animaux sont interdits sur la plage, grommela-t-il. Y compris les petits poneys mal peignés. Faites-moi le plaisir de m'emmener *ça* hors de la plage tout de suite.

– *Ça* s'appelle Sheltie, et *ça* ne fait de mal à personne, protesta Emma. Nous aidons seulement à récolter de l'argent pour sauvegarder la jetée.

– Peuh! cracha le conseiller. Quand j'aurai obtenu gain de cause, il ne restera plus rien à sauver. (Il se tourna face au grand-père d'Emma.) J'ai déposé une demande de démolition pour cette ruine aussi laide que dangereuse. On aurait déjà dû la raser depuis des années.

Emma était sur le point de dire à cet odieux conseiller que la jetée des Pirates était splendide, et que tous les habitants de Baie-du-Galion souhaitaient la conserver.

Mais sa mère la prit par la main et l'en-traîna avec douceur.

– Viens, Emma. Ramenons Sheltie à son paddock, dit-elle. Inutile d'enve-nimer la situation.

Emma poussa un long soupir. Le conseiller Reginald Smith avait réussi à leur gâcher la fête.

*   *   *

Le lendemain matin, Papi réunit ses amis chez lui pour leur parler de l'idée de monter un petit spectacle dans le théâtre. Ils étaient quatorze à se presser autour de la table de la cuisine, jetant les bases de l'histoire, tout en réfléchissant à la manière d'écarter la menace du conseiller.

– Et si on lançait une pétition ? suggéra Emma. On pourrait distribuer des tracts pour inviter les gens au spec-tacle et leur demander de la signer. Si tout le monde s'y met, le conseiller sera bien obligé de changer d'avis !

– Excellente idée, Emma, la félicita son grand-père.

– Je me charge de rédiger les tracts, déclara Mme Matthews.

– Sheltie et moi, nous allons les distribuer, annonça Emma. Nous sommes en vacances ! Ce n'est pas le temps qui nous manque.

– Merci, dit Papi. Vous trouverez des feutres, de la peinture et du papier en haut, dans mon bureau.

– Quand vous aurez fini, dit M. Matthews, j'irai en ville pour faire des photocopies et tirer quelques affiches.

Les jours suivants, chacun fut très occupé. Même le petit Jim prêta main-forte en ajoutant des taches de peinture de couleurs vives sur les affiches. Emma et Sheltie se déguisaient en pirates et partaient en promenade chaque matin, distribuant leurs prospectus et conviant tous ceux qu'ils rencontraient à la représentation.

Les après-midi, Emma aidait sa mère à coudre des boutons dorés sur les costumes de pirates destinés au spectacle. Quant à M. Matthews, il travaillait au théâtre avec Papi et ses assistants, repeignant les moulures de plâtre fantaisie qui encadraient la scène. Papi tenait à ce que l'endroit soit impeccable pour la Parade des Pimpants Pirates – c'était le nom qu'Emma avait inventé pour le spectacle – où même Sheltie avait un rôle. «Sheltie pourrait tirer l'un des chariots du manège à travers la scène à la fin de la représentation, quand les villageois repoussent les pirates, avait-elle suggéré. Je serais assise dedans et je jetterai des bonbons dans le public. Ça terminerait la pièce en beauté!»

* * *

Un jour, Papi proposa à Emma de l'accompagner jusqu'à la jetée pour lui montrer où ils en étaient.

– Nous avons fini de redorer les deux colonnes de part et d'autre de la scène, annonça Papi à Emma, qui menait Sheltie par la bride le long de la jetée. C'est splendide, tu verras.

Arrivé au théâtre, il sortit une clef de sa poche pour ouvrir la porte à double battant. Il fronça les sourcils en trouvant celle-ci légèrement entrebâillée.

– Bizarre, fit-il. Je suis pourtant certain de l'avoir refermée hier soir !

Il poussa l'un des battants et pénétra dans le vestibule. Emma et Sheltie le suivirent tandis qu'il cherchait l'interrupteur.

Quand le petit théâtre s'illumina soudain sous le feu des plafonniers, Emma eut un hoquet de surprise. Non pas en raison de la beauté des lieux, mais parce que quelqu'un les avait saccagés !

Les colonnes fraîchement repeintes étaient couvertes de graffitis faits à la bombe. Le rideau, lacéré, pendait lamentablement, et la scène elle-même était barbouillée de peinture rouge.

– Qui a pu commettre une chose pareille ? s'indigna Emma.

Elle se tourna vers son grand-père, qui

demeurait muet, la tête baissée, les larmes aux yeux. Elle remarqua un pot de peinture renversé sur le sol et des traces de semelles rouges qui s'en éloignaient.

Sheltie parcourut la scène de long en large en reniflant dans tous les coins. Il ne lui fallut pas longtemps pour marcher dans les flaques de peinture et ajouter de nouvelles traces au désastre.

– Sheltie ! Descends de là, s'exclama Emma en l'entraînant par la bride.

Elle s'aperçut alors que son poney tenait quelque chose entre les dents.

– Qu'as-tu là, mon beau ?

Sheltie lâcha dans sa main un gant noir de conducteur, qui se fermait au poignet par un bouton doré.

– Il a trouvé quelque chose ? demanda Papi. Qu'est-ce que c'est ?

– Un indice ! s'écria Emma. Je parie que ce gant appartient à celui qui a ravagé le théâtre.

– Tu as peut-être raison, soupira son grand-père. Mais comment retrouver le deuxième dans Baie-du-Galion? Autant chercher une aiguille dans une botte de foin!

Emma suivit des yeux les traces de pas, le long de la travée jusqu'aux portes du vestibule, où elles s'arrêtaient. Deux empreintes bien nettes s'étaient impri-

mées sur une affiche décollée du mur. La peinture avait séché; Emma replia le papier et le fourra dans la poche arrière de son jean.

– Il ne nous reste plus qu'à nous attaquer à un grand nettoyage, dit-elle. Ne t'en fais pas, Papi. Tout sera prêt à temps pour la Parade des Pimpants Pirates !

6

Grâce à l'aide d'Emma, de M. et Mme Matthews et de ses amis, Papi eut tôt fait de nettoyer le théâtre et de réparer les dégâts occasionnés.

Chacun travailla d'arrache-pied. Même Sheltie mit la main à la pâte : il prit un pinceau entre ses dents et ajouta quelques touches de vert sur les arbres. Tout au long de la journée, des gens passèrent signer la pétition et acheter des tickets pour le spectacle.

– On dirait bien que nous allons réussir à la sauver, cette jetée ! dit Emma, radieuse.

– Je ne sais pas comment vous remercier, déclara Papi quand ils en eurent fini.

Tout le monde était éreinté, mais le théâtre resplendissait ; il était fin prêt pour la représentation.

Le lendemain après-midi, Emma partit avec Sheltie distribuer ses ultimes prospectus ; il ne lui en restait plus qu'une poignée. Lorsqu'elle eut glissé le dernier dans une boîte aux lettres, elle laissa Sheltie la reconduire à travers la lande qui dominait Baie-du-Galion.

Des nuages gris s'accumulaient au-dessus de la mer. Le temps qu'Emma regagne le cottage, le ciel s'était assombri. Un grondement de tonnerre roula dans le lointain alors qu'elle rentrait Sheltie dans son paddock.

– Une tempête va éclater, dit Mme Matthews. J'espère que ton grand-père ne va plus tarder !

– Où est-il ? s'enquit Emma.

– Au théâtre, répondit M. Matthews, qui s'occupait des derniers préparatifs.

– Veux-tu aller le chercher, Emma ? demanda Mme Matthews. Je ne tiens pas à ce qu'il passe la soirée là-bas. Une grosse journée l'attend demain !

Emma sortit et se dirigea vers la jetée. L'apercevant depuis son paddock, Sheltie poussa un long hennissement.

– Tu veux m'accompagner ? dit Emma. D'accord.

Elle ouvrit la barrière pour faire sortir

son poney, mais ne prit pas la peine de le seller. Elle n'allait pas loin et pouvait parfaitement monter à cru.

Des éclairs zébraient l'horizon, illuminant la mer et se reflétant dessus comme sur un miroir. La plage était déserte et, sous la jetée, les vagues qui ne cessaient d'enfler se fracassaient contre les piliers en projetant très haut des embruns.

Emma donna un coup de talons, et Sheltie trotta jusqu'au théâtre, faisant claquer ses sabots sur les planches.

La porte du bâtiment était grande ouverte.

— Tu es là, Papi ? cria Emma en se laissant glisser au bas de son poney.

Le bâtiment était plongé dans le noir. Emma actionna l'interrupteur ; sans résultat.

— Papi ? lança-t-elle dans l'obscurité.

N'obtenant toujours aucune réponse, elle se risqua à l'intérieur.

Sheltie secoua sa crinière et hennit en voyant Emma s'enfoncer dans les ténèbres et monter sur la scène.

— Par ici, fit une voix depuis le fond de la scène.

Alors que ses yeux s'habituaient à l'obscurité, Emma découvrit son grand-père allongé dans les coulisses, au pied d'un escabeau.

– Papi ? Qu'est-ce qu'il y a ? s'écria-t-elle.

– J'ai eu un accident, expliqua Papi. Quelqu'un a trafiqué les éclairages. J'étais en train de rechercher la panne lorsque j'ai trébuché dans le noir. Je me suis fait mal à la cheville.

Il avait l'air de souffrir terriblement.

– Il faut vite rentrer à la maison, dit Emma. Il y a une tempête qui se prépare.

– Je ne peux pas marcher, geignit son grand-père. Je crois que j'ai une foulure.

– Je vais aller chercher de l'aide avec Sheltie !

C'est alors qu'elle remarqua le chariot en forme de galion que Sheltie devait tirer sur scène à l'issue de la Parade des Pimpants Pirates.

– J'ai peut-être une meilleure idée…, fit-elle.

Sheltie parut deviner ce qu'elle avait en tête. Il attendit patiemment que sa maîtresse rapproche le chariot en le faisant rouler jusqu'à son grand-père, et se laissa mettre sans broncher le harnais spécial que Jack le Rouge avait préparé pour lui.

Papi se souleva sur les bras et fit de son mieux pour aider Emma à l'installer dans le siège étroit.

Tiré par Sheltie, poussé par Emma, le chariot-galion s'ébranla enfin. Ils gagnèrent le fond du théâtre, empruntèrent la rampe qui menait dans la salle, puis remontèrent la travée jusqu'à l'entrée.

Dehors, la pluie s'était mise à tomber. Un vent furieux les cingla de tous côtés. La crinière de Sheltie battait follement.

– Allez, Sheltie, lui cria Emma. Ouvre la marche !

Encouragé par Emma, le petit poney s'engagea sur la jetée. La mer démontée rugissait sous les planches, les aspergeant d'écume. Mais Sheltie continua et, lentement mais sûrement, tira le chariot jusqu'au rivage.

Le chariot atterrit avec un léger choc sur la promenade bétonnée. De là, le poney partit au petit trot jusqu'au cottage tandis que le ciel noircissait et qu'une violente tempête s'abattait sur Baie-du-Galion.

7

Malgré l'incident de la veille, le grand-père d'Emma était plus décidé que jamais à donner son spectacle. Il boitait et devait s'appuyer sur des béquilles pour marcher, mais il n'allait pas abandonner son projet pour autant !

Emma et Sheltie l'accompagnèrent jusqu'à la jetée afin de régler les derniers détails. À leur arrivée, ils découvrirent un attroupement devant la jetée, au milieu duquel se tenait le conseiller Reginald Smith.

Les animaux n'étant pas admis sur la plage, Emma laissa Sheltie sur la promenade pour aller voir ce qui se passait.

Le sable sous la jetée était jonché d'éclats de bois. Le conseiller Smith, visiblement fort content de lui, lançait des ordres à une équipe d'ouvriers. La jetée était fermée par un ruban jaune ; un trou béant s'ouvrait au milieu du plancher.

Un reporter du journal local prenait des photographies et tentait d'interviewer le conseiller.

Emma tendit l'oreille pour entendre sa réponse.

– Voilà la confirmation de que ce j'ai toujours su, commença le conseiller. Ce vieux tas de bois est non seulement disgracieux, mais aussi extrêmement dangereux. On aurait dû le remplacer depuis des années par une jetée moderne en béton. Ç'aurait été beaucoup plus intelligent.

– Ridicule ! rétorqua le grand-père d'Emma, très en colère. Je me trouvais sur la jetée pas plus tard qu'hier soir, et elle tenait parfaitement le coup. Elle fait partie de notre patrimoine historique et doit être préservée. Si le conseil avait accepté de financer son entretien, ce ne serait jamais arrivé.

Le conseiller se tourna vers lui avec un rictus méprisant.

– Ma foi, l'incident de cette nuit prouve bien que j'avais raison, cracha-t-il en s'obligeant à sourire pour le photographe. Cette jetée représente un danger pour la population. Dieu soit loué, personne n'a été blessé.

– Que va-t-il se passer maintenant ? demanda Emma.

– On rase ! déclara le conseiller. Je me charge de terminer ce que la tempête a commencé. Dans moins de six mois, une superbe jetée moderne se dressera ici

même. Et l'ancienne ne sera plus qu'un souvenir !

Le flash du photographe crépita une fois de plus tandis que le conseiller bombait le torse.

— Vous pouvez oublier votre représentation, ajouta-t-il. L'endroit est officiellement interdit au public !

Le grand-père d'Emma se tassa sur ses béquilles, l'air las et abattu. Tous ceux qui étaient venus l'aider se réunirent sur la plage, la tête basse, avec la mine des mauvais jours. Ils avaient perdu la bataille !

Emma avait une grosse boule dans la gorge.

Elle se tourna vers la promenade, cherchant son poney des yeux. Mais ce dernier avait disparu.

Elle commençait à s'inquiéter quand, après un rapide tour d'horizon, elle repéra Sheltie sur la plage, en train de fouiner sous la jetée. Les employés de la voirie avaient eu beau barrer les lieux avec du ruban jaune, Sheltie s'était faufilé dessous.

Le petit poney se tenait entre les piliers qui lui avaient servi de cage de foot le jour de la fête. Emma courut le rejoindre.

— Sors de là, lui lança-t-elle.

Elle ne voulait pas que Sheltie s'attire des ennuis ou reçoive une planche sur la tête, au cas où la jetée se révélerait aussi dangereuse que le prétendait le conseiller Smith.

Mais Sheltie n'obéit pas. Avec le bout de son sabot, il grattait l'un des poteaux, celui-là même qu'il avait abîmé en jouant les gardiens de but. La fissure s'était élargie et laissait apparaître une épaisse armature en fer.

En saisissant les rênes de Sheltie, Emma y jeta un coup d'œil. Elle vit une sorte de plaque ornementale. Ce n'était pas le genre de chose qu'on s'attendait à trouver caché sous une épaisseur de bois.

Elle se pencha pour voir de plus près. C'était bien une plaque commémorative.

– Ne reste pas là, petite, lui cria le conseiller Smith en descendant sur la plage. C'est dangereux.

Le photographe, qui avait suivi le conseiller, se montra très intéressé par la découverte de Sheltie. Arrivé le premier, il examina à son tour le poteau endommagé.

– Waouh ! s'écria-t-il. Si c'est bien du fer là-dessous, ça veut dire que cette jetée est beaucoup plus ancienne qu'on le croyait !

Il avança la main et détacha un gros éclat de bois au bord de la fissure, dégageant la plaque métallique fixée à la colonne en fer, à l'intérieur du poteau. Emma ne parvint pas à déchiffrer l'inscription, mais reconnut, gravé en bas-relief dessus, un écu surmonté d'une couronne.

– Incroyable ! s'exclama le photographe. Sauf erreur, ce sont les armes de la Maison royale.

Il braqua son appareil et se mit à mitrailler la découverte de Sheltie.

Les gens s'approchèrent en masse pour voir ce qui se passait. Sheltie, l'air fier, paradait au milieu de toute cette agitation.

8

Dans un premier temps, il fut impossible de lire l'inscription sur la plaque rouillée. Mais lorsque Jack le Rouge eut apporté de l'alcool à brûler pour la décaper un peu, elle devint aussi nette que si elle avait été gravée la veille. Ce fut Papi qui la lut à voix haute.

– «Cet embarcadère privé fut érigé en l'an mille cinq cent soixante-quatre par l'honorable lord Rochester pour célébrer le débarquement du duc d'Arslan, de

France, lors de la visite qu'il rendit à notre glorieuse reine Elisabeth.»

– C'est un monument historique! s'exclama le photographe.

– Plus question de la raser, maintenant, conclut Emma.

– Je ne crois pas, en effet! intervint son grand-père.

Le conseiller Smith ne semblait plus aussi content de lui.

– Faites-moi voir cela, aboya-t-il.

– Le conseil sera bien obligé de financer les travaux de restauration, déclara Papi, rayonnant. La jetée est sauvée pour de bon!

La foule se pressa autour de la plaque pour la voir de plus près.

Afin de se donner une contenance, le conseiller ne trouva rien de mieux que s'en prendre à Sheltie.

– Je te l'ai déjà dit, lança-t-il à Emma, je ne veux pas de ce poney sur ma plage!

Emma aurait voulu lui rétorquer qu'il n'était qu'une grosse brute. Elle se retint néanmoins et fit mine d'entraîner Sheltie par la bride.

Le poney ne l'entendait pas de cette oreille. En passant devant le conseiller Smith, il allongea le cou et referma ses dents sur la poche de sa veste.

Le conseiller tenta de se dégager, mais Sheltie résista.

– Arrête, Sheltie, le gronda Emma. Allons-nous-en.

Sheltie tira plus fort, refusant de lâcher. On entendit le bruit du tissu déchiré, et la veste céda. La poche resta dans la gueule de Sheltie, tandis que le conseiller Smith basculait en arrière sur le sable. Un gant de conducteur noir, avec un bouton doré au poignet, atterrit devant lui.

Le conseiller se releva précipitamment et tendit la main pour le récupérer. Mais

Emma le ramassa avant lui et le remit à son grand-père.

— J'ai déjà vu ce gant-là, dit Papi.

— Rien d'étonnant, grommela le conseiller. Je les porte en permanence.

— Sauf aujourd'hui, fit remarquer Papi.

— Parce que j'en ai perdu un, si vous tenez à le savoir !

Le grand-père d'Emma plongea la main dans sa poche et en sortit un gant identique au premier.

— Je suppose que vous les portiez quand vous avez vandalisé le théâtre ? demanda-t-il d'un ton accusateur en agitant l'objet sous le nez du conseiller.

Celui-ci, visiblement décontenancé, le lui arracha.

— Vous ne pouvez rien prouver, dit-il.

— Oh, mais si, rétorqua Emma. J'ai une affiche qui porte encore des empreintes de pas. La police établira facilement si elles correspondent ou non à vos chaussures.

Sheltie coucha les oreilles et émit un éternuement sonore tandis que le conseiller s'enfuyait à grands pas.

* * *

Un examen attentif de la jetée révéla que le trou dans le plancher n'avait nullement été causé par la tempête. Il s'agissait d'un sabotage !

— Regardez ! s'exclama Jack le Rouge. On voit bien les coups de scie sur le bord de ces planches. Et ces clous n'ont pu être arrachés qu'avec des tenailles.

— Pas la peine de chercher le coupable bien loin, commenta Papi.

Jack Morris, charpentier de son métier, étudia les dégâts.

— Je peux réparer ça facilement, annonça-t-il. Il me suffit de clouer quelques planches neuves pour remplacer celles qui ont été brisées. Le reste de la jetée est solide comme un roc !

Il se mit au travail et, grâce au concours de nombreux volontaires, remit la jetée en état en moins d'une heure.

Le conseiller Smith fut interrogé par la police et démissionna aussitôt de ses fonctions au conseil local. La population entière de Baie-du-Galion avait entendu parler de ses manigances ainsi que de la découverte de la plaque royale, et elle se pressa au théâtre pour soutenir le projet de sauvegarde de la jetée.

* * *

La Parade des Pimpants Pirates fut un extraordinaire succès. Le théâtre repeint à neuf était splendide, et la salle affichait complet.

Tous les acteurs firent merveille. Les costumes chatoyaient, les boutons cousus par Emma et sa mère brillaient de mille feux sous les projecteurs.

Papi – alias Barbe-Grise le Cruel – avait toujours mal à la cheville, mais sa béquille le faisait ressembler plus que jamais à un pirate. Il traversa la scène en boitillant, beuglant une chanson sur les bateaux pirates et la vie au grand large. L'assistance reprit le refrain en chœur, suivant les paroles qu'Emma indiquait au fur et à mesure sur un carton. En coulisses, Sheltie battait la mesure avec son sabot.

La salle applaudit à tout rompre en scandant son nom. On savait que c'était lui qui avait permis de sauver la jetée des Pirates, et les habitants de Baie-du-Galion tinrent à lui manifester leur reconnaissance.

Des flashs crépitèrent en tous sens. Il y eut des chants, des danses et des acrobaties, tandis que Jack le Rouge et Bosun la Perruque rivalisaient de bouffonneries. Ils avaient un talent naturel de clowns, et le public rit aux larmes. Ce fut une soirée exceptionnelle !

Sheltie se montra très excité en attendant son tour. Quand vint pour lui le moment de faire son entrée, il tira son petit chariot sur la scène sous les hourras du public. Emma, assise dans le chariot en costume de pirate, jeta des bonbons dans la salle à l'intention des enfants.

Sheltie secoua sa crinière en bataille.

Avec son chapeau et son foulard, il avait l'air plus canaille que jamais dans la lumière des projecteurs.

Un tonnerre d'applaudissements retentit dans la salle.

— Un triple ban pour Sheltie, la vedette du spectacle !

La foule explosa en rugissements, sifflets et hourras. Quel moment inoubliable !

Emma ne s'était jamais sentie plus fière que ce soir-là. Et tout cela grâce à Sheltie !

Et voici une autre aventure
d'Emma et de Sheltie
dans

Sheltie
à la fête foraine

n°424 de la série

1

– Des moutons ! s'écria Emma en faisant irruption dans la cuisine. Il y a six moutons dans l'enclos de Sheltie. Je viens de les voir par la fenêtre de ma chambre !

Sa mère était à table, en train de prendre son petit déjeuner. Elle leva les yeux vers Emma, qui se bagarrait avec ses bottes en caoutchouc.

– Des moutons ? fit-elle.

– Oui ! Sheltie est en train de les rassembler.

Mme Matthews jeta un coup d'œil par la fenêtre :

– Tu as raison ! Six brebis. Sheltie a

l'air de s'amuser comme un fou à leur courir après.

Emma la rejoignit près de la fenêtre. Le poney Shetland avait réussi tant bien que mal à regrouper les brebis. Il les reconduisit jusqu'à la haie qui bordait son enclos. Puis, sous le regard stupéfait d'Emma, il les poussa en plein dedans !

Les brebis disparurent une à une dans l'épais feuillage.

– Qu'est-ce qui se passe ? s'exclama Emma.

Elle n'en croyait pas ses yeux. Elle se précipita dehors. En la voyant arriver, Sheltie rejeta la tête en arrière et l'accueillit par un reniflement de bienvenue.

C'est seulement après avoir escaladé la barrière et pénétré dans l'enclos qu'Emma vit où avaient filé les brebis.

Il y avait un gros trou dans la haie ! Les brebis s'étaient glissées par là pour gagner le pré du voisin, M. Brown.

Emma rejoignit Sheltie au pas de course et le retint par la crinière.

– Reste ici, mon beau, ordonna-t-elle.

Elle entraîna son poney jusqu'à son abri, lui enfila sa bride et le mit à l'attache. Ensuite, elle retourna sur ses pas et se faufila par le trou de la haie.

Quand elle déboucha de l'autre côté, les six brebis se dispersèrent dans le pré. Emma marcha jusqu'à la ferme de M. Brown et entra dans la cour.

– Bonjour ! lui dit M. Brown.

Puis, remarquant son air soucieux, il demanda :

– Qu'est-ce que je peux faire pour toi, aujourd'hui ?

– Ce sont vos moutons, M. Brown, expliqua Emma. Ils ont creusé un gros trou dans la haie. J'ai retrouvé six de vos brebis dans l'enclos de Sheltie.

– Oh, non ! gémit le fermier. Merci de m'avoir prévenu, Emma. Je ferais mieux de m'en occuper tout de suite, avant que tout mon troupeau ne s'éparpille. Ou que Sheltie ne se sauve !

– C'est la première fois que vous mettez des moutons dans ce pré, observa Emma.

– Tu as raison, reconnut M. Brown en souriant. D'habitude, je les laisse plutôt dans la prairie du haut, mais j'ai loué le pré d'à côté à une fête foraine qui va s'installer à

La Pommeraie la semaine prochaine. Alors, j'ai déplacé le troupeau pour tondre l'herbe.

– Une fête foraine ? répéta Emma, tout excitée. Ici, à La Pommeraie ?

Elle pivota et fila annoncer la bonne nouvelle à Sheltie.

2

M. Brown, qui avait suivi Emma, alla droit à la haie pour évaluer l'ampleur des dégâts.

– Il est énorme, ce trou ! soupira-t-il.

Sheltie semblait du même avis. Il rejeta la tête en arrière et souffla bruyamment.

Emma, qui le tenait par la bride, lui adressa un grand sourire.

– Ça te plaît, hein, Sheltie ? On dirait un passage secret vers les autres prés, pas vrai ?

M. Brown se tourna vers la petite fille :

– Tu viens de me donner une idée. Ce trou est vraiment important, et il va falloir des mois avant que la haie ne repousse. Je peux y mettre du grillage, en attendant… ou alors, agrandir le trou et installer un portillon.

– Un portillon ! s'exclama Emma.

Sheltie dressa les oreilles.

– Un portillon privé, précisa M. Brown. Comme ça, Sheltie et toi, vous pourrez accéder à mes champs chaque fois que vous en aurez envie.

– Un raccourci rien qu'à nous ! s'écria Emma. Ce serait génial !

– J'ai une vieille grille en fer forgé dans une de mes granges, poursuivit M. Brown. Avec une serrure et une clé. Elle sera parfaite.

– Sheltie aura vue sur les champs et sur les collines, dit Emma. Il va adorer ça.

Sheltie secoua la crinière d'un air approbateur.

– Il verra aussi arriver la fête foraine, ajouta le fermier. Il pourra surveiller le montage des manèges.

À l'idée de la fête foraine, Emma sentit un frisson d'excitation lui parcourir le dos ; elle avait hâte d'être à samedi.

Les jours suivants s'écoulèrent comme dans un rêve. Samedi matin, Emma se réveilla très tôt. Il n'était que six heures et

demie. Mais elle n'avait plus sommeil, tout comme Sheltie, qu'elle entendait s'agiter dans son enclos.

Emma bondit hors de son lit et courut à la fenêtre. En l'apercevant, Sheltie poussa un reniflement de protestation, comme pour dire : « Qu'est-ce que tu fabriquais ? Ça fait des heures que je t'appelle ! »

Le soleil était levé depuis peu et une brume matinale s'accrochait encore au ras du sol, comme un nuage.

Emma salua Sheltie et lui envoya un baiser. Puis elle poussa une exclamation de surprise en découvrant pourquoi le petit poney faisait autant de raffut.

Au-delà de l'enclos de Sheltie, une armée de caravanes et de camions de couleurs vives s'avançait lentement en cahotant dans le pré de M. Brown. Les forains étaient là !

3

Comme il était trop tôt pour réveiller ses parents, Emma s'habilla rapidement et sortit du cottage sans faire de bruit. Elle traversa le jardin en courant et escalada la barrière de l'enclos de Sheltie.

Le petit poney s'éloignait déjà en trottinant vers son nouveau portillon. Il se retourna afin de s'assurer qu'Emma le suivait.

M. Brown avait fait de l'excellent travail ! Le portillon s'intégrait si bien dans la haie qu'on aurait dit qu'il avait toujours été là.

Sheltie et Emma observèrent ce qui se

passait de l'autre côté. Ils regardèrent la procession de véhicules se ranger en bon ordre au fond du pré, à l'orée du bois des Épines.

– « La foire itinérante de Papa Girola », lut Emma à haute voix.

Ces mots s'affichaient en lettres flamboyantes rouge et or au flanc du camion

de tête, qui tirait une énorme remorque.

– Je me demande ce qu'il y a dans cette remorque, dit Emma.

Sheltie souffla doucement et secoua sa crinière. Lui aussi semblait se poser la même question. Mais, pour le moment, il n'y avait rien à voir. La remorque était entièrement recouverte d'une épaisse bâche verte.

– Regarde, Sheltie, dit Emma en montrant le camion suivant. Il y a un toboggan infernal et, là, des tasses tournoyantes.

Elle passa ainsi tous les camions en revue, en lisant au fur et à mesure sur leurs flancs le nom des attractions.

– Des autos tamponneuses, des soucoupes volantes, un train fantôme, une maison hantée et une grande roue, annonçait-elle.

Le cortège comprenait également des fourgons et des camionnettes. Emma devina qu'ils devaient contenir les stands et d'autres attractions.

– Je te parie qu'il y aura un jeu des anneaux, un jeu de massacre et un stand de barbe à papa !

Sheltie dressa les oreilles en entendant sa maîtresse mentionner la barbe à papa.

– Tu aimes ça, les sucreries, hein ? fit Emma avec un grand sourire.

Sheltie hennit doucement et se pourlécha les babines. Puis il passa le nez pardessus le portillon et prit une profonde inspiration, humant toutes ces odeurs nouvelles qui flottaient dans l'air. Ses yeux bruns pétillaient.

Pendant qu'Emma examinait la longue succession de véhicules, des portes s'ouvrirent à la volée et la prairie se remplit de forains.

Emma sourit en remarquant que son poney ne perdait pas une miette de ce déferlement d'activité. Et puis, elle vit ce qui retenait plus particulièrement l'attention de Sheltie : une jeune fille aux

boucles brunes venait d'abaisser une rampe à l'arrière d'un van pour en faire descendre une splendide ponette d'un blanc de neige.

Sheltie piaffa d'enthousiasme. La ponette leva la tête, comme pour sentir son odeur dans la brise du matin.

Soudain, d'un mouvement brusque, elle s'arracha aux mains de la fille. Avant de se sauver, elle se tourna vers sa maîtresse et lui donna un petit coup de nez sur le bras. Ensuite, elle s'élança au galop à travers le pré pour rejoindre Emma et Sheltie.

Découvre vite la suite de cette histoire dans

Sheltie à la fête foraine

N° 424 de la série

ÉCRIS-NOUS !

Cher Peter Clover,

J'adore les poneys. Je rêve d'en avoir un depuis que j'ai fait un stage d'équitation l'an dernier à Courchevel.

C'était génial. Chacun devait s'occuper de son animal.

On les montait, mais aussi on les brossait et on leur donnait à manger.

Nathalie, 10 ans

RÉPONSE

On comprend ta passion naissante pour les poneys.
C'est vrai que ce sont des animaux auxquels
on s'attache facilement. Tu dois être heureuse
d'avoir goûté aux joies de l'équitation.
On espère pour toi que tu pourras bientôt renouveler
cette expérience.

TOI AUSSI,
TU AIMES LES PONEYS ?

Si tu as envie

de nous parler de ta passion
pour les poneys et de l'équitation,

si tu veux

nous poser des questions
sur l'auteur et ses romans,
ou tout simplement nous dire
quels sont tes animaux préférés,

n'hésite pas à nous écrire !
Ta lettre sera peut-être publiée !

Bayard Éditions Jeunesse
Série "Sheltie"
3, rue Bayard
75008 Paris

Attention !
N'oublie pas d'écrire ton nom et
ton adresse si tu veux qu'on te réponde !

Sheltie®